Ogrodnictwo

— Przede wszystkim musimy podlać rośliny na placu — mówi Kasia i wciska mi w dłoń sikawkę na końcówce węża. Kolejną czynnością jest pomoc Kasi w dekorowaniu donic, które właśnie przyjechały od dostawcy. W swoim sklepie moja przyjaciółka sprzedaje nie tylko rośliny, ale właściwie wszystko, co może się przydać w ogrodzie — torf, skrzynki do kwiatów, doniczki, sprzęt i narzędzia do prac ogrodniczych.

Nowe donice są zrobione z gliny, więc nie są lekkie. Całe szczęście, że jestem już taki silny.

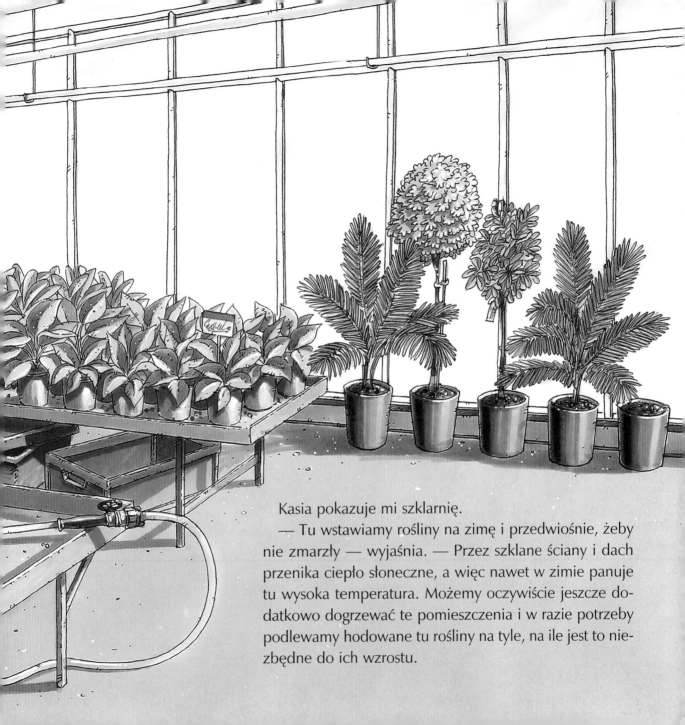

Kasia pokazuje mi szklarnię.

— Tu wstawiamy rośliny na zimę i przedwiośnie, żeby nie zmarzły — wyjaśnia. — Przez szklane ściany i dach przenika ciepło słoneczne, a więc nawet w zimie panuje tu wysoka temperatura. Możemy oczywiście jeszcze dodatkowo dogrzewać te pomieszczenia i w razie potrzeby podlewamy hodowane tu rośliny na tyle, na ile jest to niezbędne do ich wzrostu.

Kolejna czynność, w której uczestniczę, to przesadzanie roślinek. Pomagam Stefanowi, koledze mojej przyjaciółki. Kasia pokazuje mi maleńkie nasionko.

— Umieszczone w glebie i odpowiednio podlewane, wykiełkuje. A potem wyrośnie z niego duża roślina. Nawet wielkie drzewa wyrastają z maleńkich nasion — tłumaczy mi przyjaciółka.

Pozwolono mi pikować sadzonki. Łopatką delikatnie umieszczam młode rośliny w pojedynczych doniczkach. Rośliny będą w nich rosły tak długo, aż bryła korzeniowa stanie się zbyt duża dla pojemników i wtedy Stefan przesadzi je do większych donic. Potem będą nadal rosły, a gdy będą już odpowiednio duże, Kasia wystawi je na sprzedaż w sklepie. Z doniczkami jest trochę tak, jak z moimi butami — gdy są mi za małe, trzeba kupić większe. Na samo kopanie łopatką jestem już za duży, ale przesadzanie roślin to wielka przyjemność.

Następny punkt zwiedzania to pole za szklarnią.

— To nasza szkółka drzewek — opowiada mi Kasia. — Oczywiście rośliny nie uczą się tu czytać i pisać, tylko spokojnie sobie rosną. Tu właśnie drzewa i krzewy „dorastają" do momentu, aż będą się nadawały do sprzedaży.

Dwaj ogrodnicy akurat wyciągają z ziemi drzewo za pomocą przesadzarki. Specjalne narzędzie zamontowane na koparce wycina bryłę korzeniową z gleby. Następnie bryłę ziemi owija się ściśle mocną płachtą i ładuje całe drzewko na pakę auta.

Ogrodnictwo

MĄDRA MYSZ

MĄDRA MYSZ poleca swoje ulubione książeczki o Zuzi, o Maksie, o zawodach oraz o maszynach i pojazdach.

Każda książeczka ma z tyłu okładki numer, możesz więc z łatwością skompletować całą serię!

Miłej lektury i dobrej zabawy!

→ Zawody

Mam przyjaciela
pilota

Mam przyjaciela
piłkarza

Mam przyjaciela
piłkarza ekstraklasy

Mam przyjaciela
policjanta

Mam przyjaciela
pszczelarza

Mam przyjaciela
strażaka

Mam przyjaciela
śmieciarza

Mam przyjaciół
rolników

Mam przyjaciółkę
dentystkę

Mam przyjaciółkę
księgarkę

Mam przyjaciółkę
ogrodniczkę

Mam przyjaciółkę
opiekunkę zwierząt

Mam przyjaciółkę
pielęgniarkę

Mam przyjaciela
ratownika medycznego

Mam przyjaciela
weterynarza

→ **Maszyny i pojazdy**

Maszyny i pojazdy
Budowa drogi

Maszyny i pojazdy
Plac budowy

Maszyny i pojazdy
W gospodarstwie rolnym

Maszyny i pojazdy
W mieście

Maszyny i pojazdy
W remizie strażackiej

Zuzia

Zuzia gra w piłkę nożną

Zuzia i jej kotek

Zuzia i nowy dzidziuś

Zuzia idzie do dentysty

Zuzia idzie do fryzjera

Zuzia idzie do lekarza

Zuzia idzie do przedszkola

Zuzia idzie do szkoły muzycznej

Zuzia jedzie na piknik

Zuzia jedzie na wieś

Zuzia jedzie pod namiot

Zuzia jeździ konno

Zuzia jeździ na nartach

Zuzia leci samolotem

Zuzia na plaży

Zuzia nie korzysta z pomocy nieznajomego

Zuzia nocuje u Julii

Zuzia obchodzi urodziny

Zuzia piecze pizzę

Zuzia się zgubiła

Zuzia śpi w przedszkolu

Zuzia uczy się jeździć na rowerze

Zuzia uczy się piec

Zuzia uczy się pływać

Zuzia uczy się tańczyć

Zuzia w górach

Zuzia w szpitalu

Maks

Maks buduje statek piratów

Maks idzie na basen

Maks nie rozmawia z obcymi

Maks zostaje mistrzem świata

Maksowi wypada ząb

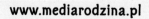

❋ **Media Rodzina**   www.mediarodzina.pl   mediarodzina@mediarodzina.pl

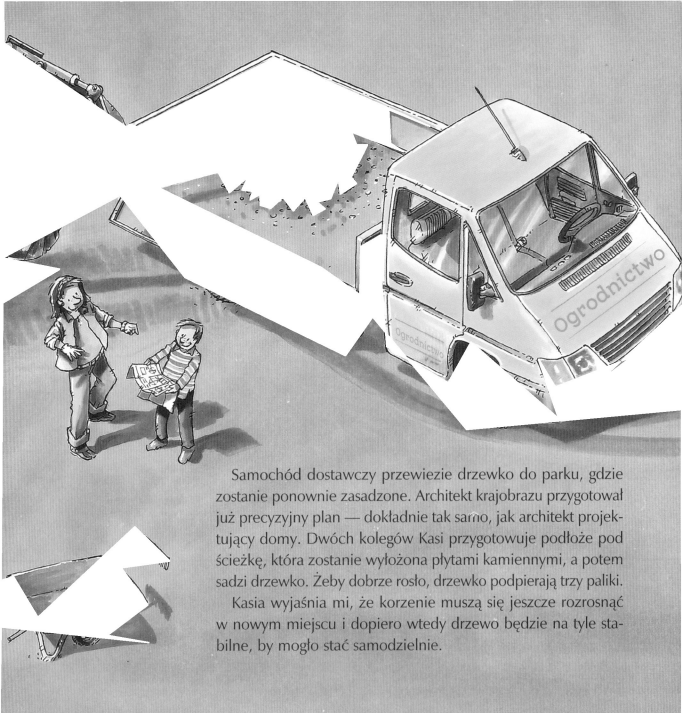

Samochód dostawczy przewiezie drzewko do parku, gdzie zostanie ponownie zasadzone. Architekt krajobrazu przygotował już precyzyjny plan — dokładnie tak samo, jak architekt projektujący domy. Dwóch kolegów Kasi przygotowuje podłoże pod ścieżkę, która zostanie wyłożona płytami kamiennymi, a potem sadzi drzewko. Żeby dobrze rosło, drzewko podpierają trzy paliki.

Kasia wyjaśnia mi, że korzenie muszą się jeszcze rozrosnąć w nowym miejscu i dopiero wtedy drzewo będzie na tyle stabilne, by mogło stać samodzielnie.

Po krótkiej przerwie jedziemy na cmentarz. W kaplicy przekazujemy żałobnikom dwa wieńce, które Kasia wcześniej przygotowywała.

— Pogrzeb to nie jest zbyt miła okoliczność — opowiada Kasia — ale zmarłemu człowiekowi należy się piękna ceremonia.

Groby też powinny odpowiednio wyglądać. Ogrodnicy właśnie obsadzają kwiatami jeden z nagrobków.

I wracamy do naszego sklepu ogrodniczego. Podczas gdy Kasia obsługuje klientkę, która chce kupić orchideę, ja oglądam plakat. Przedstawia on elementy potrzebne roślinom do życia — wodę, składniki pokarmowe, światło, powietrze i ciepło. Roślina pobiera składniki pokarmowe i wodę korzeniami z gleby, a jeżeli gleba jest zbyt uboga, człowiek może ją użyźnić nawozami. W sklepie ogrodniczym Kasi pracuje też florystka, która właśnie układa piękny bukiet.

Właśnie wszedł klient, który szuka grabi i potrzebuje porady. Dobranie optymalnych narzędzi do poszczególnych prac ogrodniczych wcale nie jest łatwe. Ale dla siebie właśnie znalazłem wszystko, czego potrzebuję — genialny traktorek z kosiarką. Dzięki długim ostrzom taka maszyna pozwala kosić znacznie szybciej niż przy użyciu zwykłej kosiarki elektrycznej czy spalinowej, nie mówiąc już o kosiarce ręcznej.

Gdy układam torebki z nasionami na stojaku, Kasia obsługuje klienta, który walczy ze szkodnikami roślin w swoim domu. Udzielenie właściwej porady wymaga szerokiej wiedzy fachowej w tym zakresie, zwłaszcza że niektórych środków przeciwko szkodnikom wolno używać tylko na otwartym powietrzu. W dodatku nie należy stosować ich na rośliny, których owoce przeznaczone są do jedzenia. Kasia ma w ofercie też wiele środków biologicznych, które są najmniej szkodliwe dla otoczenia.

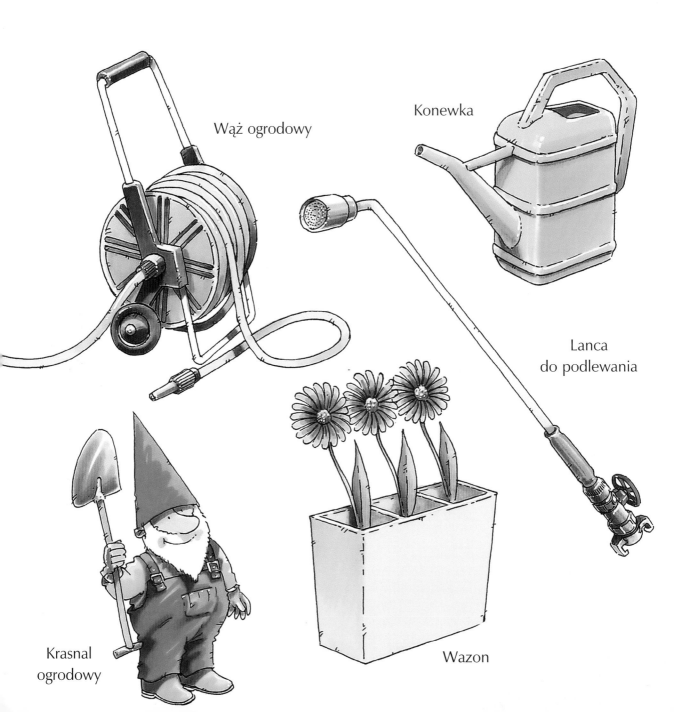

Wąż ogrodowy

Konewka

Lanca
do podlewania

Krasnal
ogrodowy

Wazon

Taczka

Młode drzewko

Grabie do liści

Potrafisz znaleźć w tekście przedstawione tu przedmioty?

Nawóz

Łopatka

Po zamknięciu sklepu Kasia obdarowuje mnie w podzięce za pomoc skrzynką z sadzonkami pomidorów. Dzisiaj tyle się nauczyłem i dowiedziałem o hodowli roślin, że z pewnością znakomicie u mnie urosną.

A kiedy już będą dojrzałe, zaproszę Kasię na sałatkę z pomidorów…

— Już się cieszę! — mówi przyjaciółka na pożegnanie.